Puede consultar nuestro catálogo en www.picarona.net

TE HAS IDO, PERO SIGUES ESTANDO AQUÍ
Texto: *Sanja Pregl*
Ilustraciones: *Maja Lubi*

1.ª edición: octubre de 2016

Título original: *Si, čeprau te ni*

Traducción: *Lorenzo Fasanini*
Maquetación: *Isabel Estrada*
Corrección: *M.ª Ángeles Olivera*

© 2012, Morfem Publishing House
(Reservados todos los derechos)

© 2016, Ediciones Obelisco, S. L.
www.edicionesobelisco.com
(Reservados los derechos para la lengua española)

Edita: Picarona, sello infantil de Ediciones Obelisco, S. L.
Pere IV, 78 (Edif. Pedro IV) 3.ª planta 5.ª puerta
08005 Barcelona - España
Tel. 93 309 85 25 - Fax 93 309 85 23
E-mail: picarona@picarona.net

ISBN: 978-84-16648-66-5
Depósito Legal: B-14.488-2016

Printed in Spain

Impreso en España por ANMAN, Gràfiques del Vallès, S. L.
C/ Llobateres, 16-18, Tallers 7 - Nau 10. Polígono Industrial Santiga.
08210 - Barberà del Vallès (Barcelona)

Texto: Sanja Pregl
Ilustraciones: Maja Lubi

Te has ido,
pero sigues estando aquí

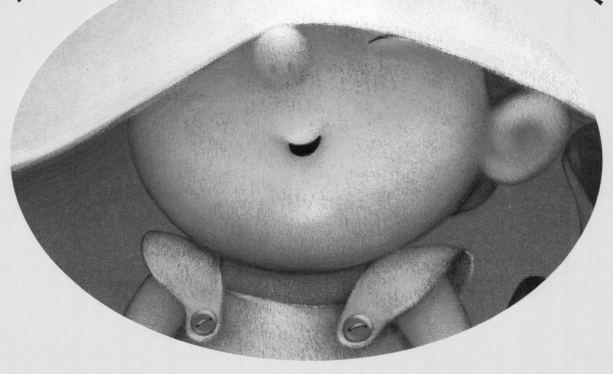

 Picarona

Ésta soy yo, Ela, una niña muy alegre. Me gusta

jugar,   **charlar**,

dibujar,   **cantar**

y **explorar**.

Todo eso y muchas más
cosas interesantes.

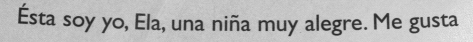

Pero también me puedo enfadar y ser rebelde. A veces, eso me sale bien, pero en otras ocasiones, no tanto.

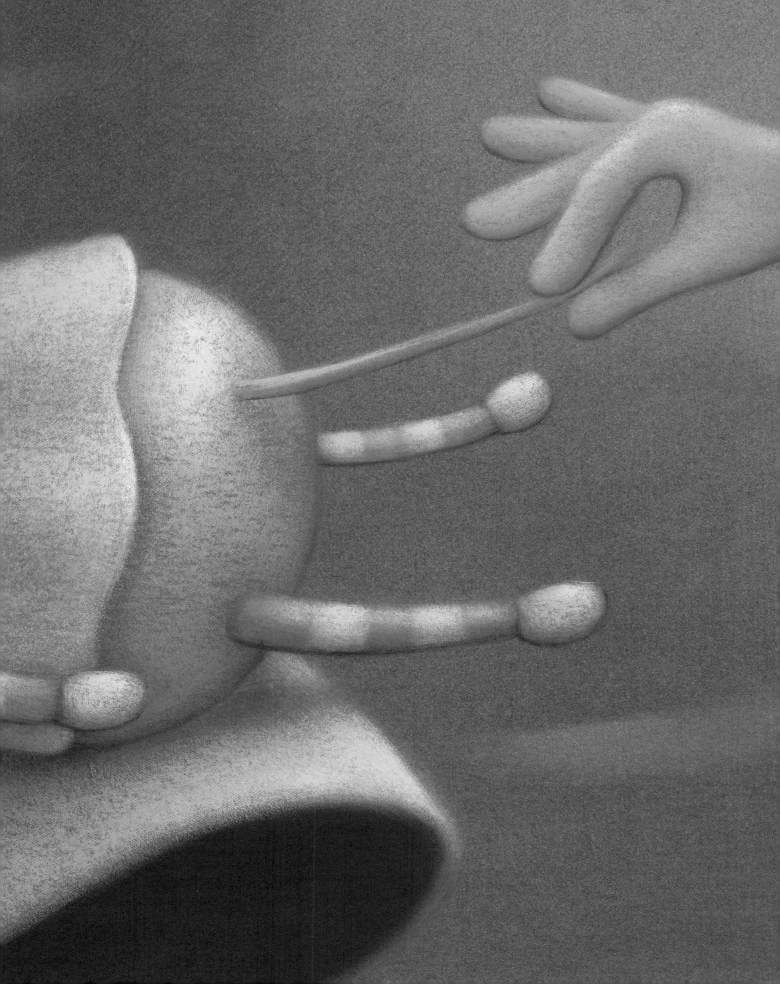

Estoy rodeada de muchísimas personas que me quieren. Juego con todas y aprendo un poco de cada una de ellas.

Mi abuela me enseñó a dibujar un pez.

Mi abuelo me enseñó a tirarle del bigote.

Mi bisabuela me enseñó todo acerca de duendes y enanitos.

Mi tía me enseñó a jugar a ¿Dónde está Ela? ¡Cucú, Ela!

Mi prima me enseñó unas cuantas palabras

que siempre me hacen reír: «Cucú, cucú, cucú».

Mis dos primos me enseñaron a jugar con los automóviles y a limpiar el polvo de debajo de la mesa y de la cama con los pantalones.

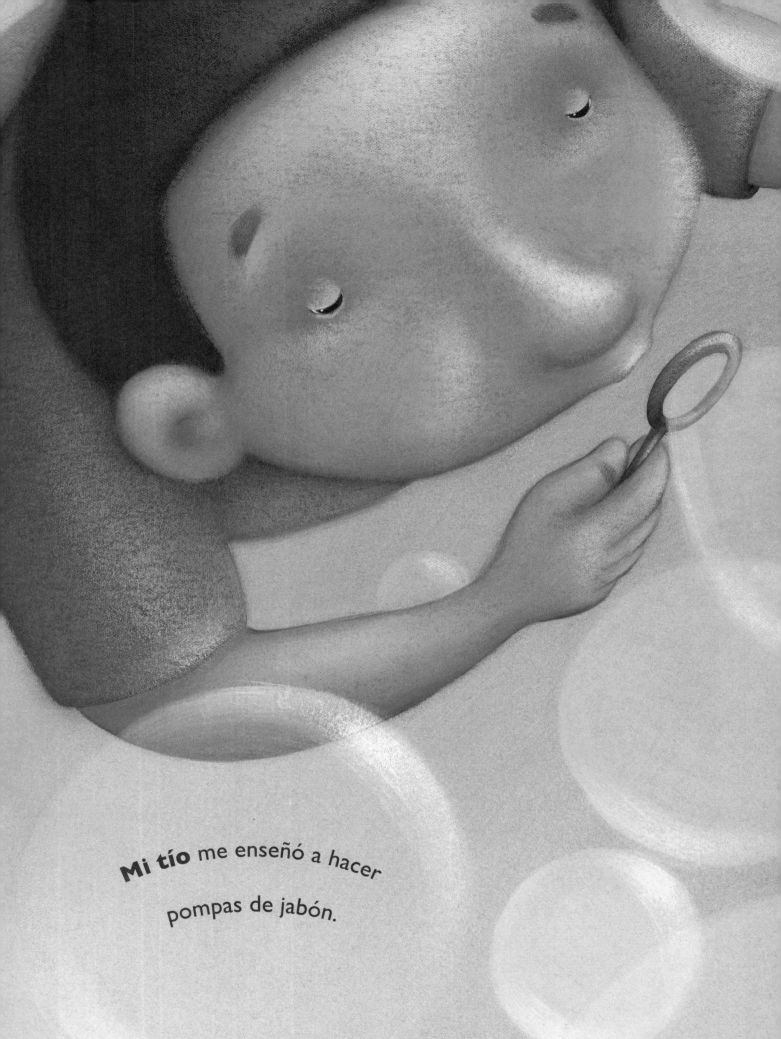

Mi tío me enseñó a hacer pompas de jabón.

Tengo **otra bisabuela**, que me enseñó a hacer el mejor té del mundo.

Y **otra abuela** me enseñó
a hacer ruidos divertidos
con la nariz.

¡Meec!

Les quiero mucho a todos.